How to use this book

Say the sound.

Trace the letter shapes.

Point to the picture
and say the word.

g o c k

G g

gate

gap
dig
gas
digs

green

grin

s a t p i n m d g

game

mu**g**

What other words can you find in the picture with the /g/ sound in them?

[**g**round, **g**arden, **g**rass, do**g**]

3

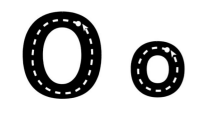

O o

octopus

on
dog
nod
pond

clock

October

Floppy

box

s a t p i n m d g o

4

orange

 What other words can you find in the picture with the /o/ sound in them?
[dog, October, pot, cloth, frog]

C c

cat

cot
cap
can
act

s a t p i n m d g o

cone

camera

What other words can you find in the picture with the /k/ sound in them?

[**c**lothes, **c**oast, ice **c**ream, **c**oach, **c**ricket bat]

c

K k

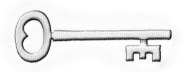

key

kid

kit

kiss

skin

kitten

s**k**in

s a t p i n m d g o

basket

kite

park

What other words can you find in the picture with the /k/ sound in them?

*[golf **k**it, whis**k**ers, **k**erb]*

c k

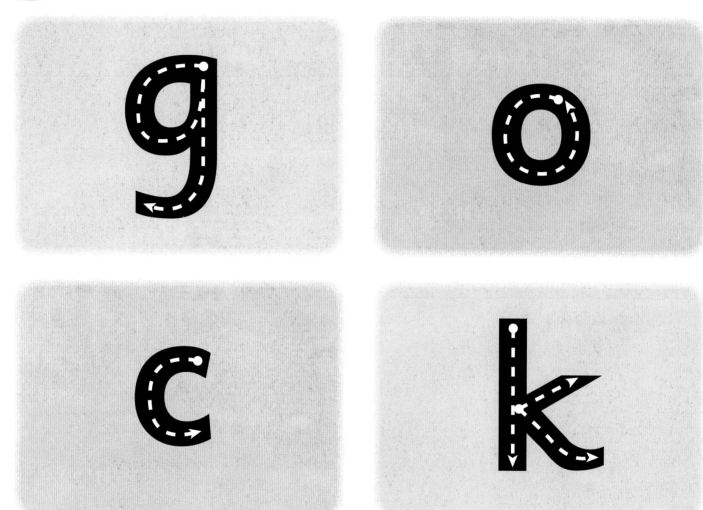

 Trace the letter shapes and say the sounds.

i k d s g a m o t n c

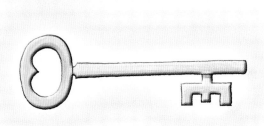

 Match the pictures to the letter shapes.

11

g o c k o g k c o g

K G   k c

O C   g o

cat   and   dog

cod   tag   skip

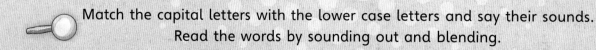

Match the capital letters with the lower case letters and say their sounds.
Read the words by sounding out and blending.

12